Catalogage avant publication de Bibliothèque et Archives nationales du Québec et Bibliothèque et Archives Canada

Bergeron, Alain M., 1957-

La chasse aux sorcières

(Le chat-ô en folie ; 17)
Pour enfants de 6 ans et plus.

ISBN 978-2-89591-182-1

I. Fil, 1974- . II. Julie, 1975- . III. Titre. IV. Collection : Chat-ô en folie ; 17.

PS8553.E674C42 2013 jC843'.54 C2013-940410-4
PS9553.E674C42 2013

Correction et révision : Annie Pronovost

Dépôts légaux : 3e trimestre 2013
Bibliothèque et Archives nationales du Québec
Bibliothèque et Archives Canada
ISBN : 978-2-89591-182-1

4339, rue des Bécassines
Québec (Québec) G1G 1V5
CANADA
Téléphone : 418 628-4029
Sans frais depuis l'Amérique du Nord : 1 877 628-4029
Télécopie : 418 628-4801
info@foulire.com

Les éditions FouLire reconnaissent l'aide financière du gouvernement du Canada par l'entremise du Fonds du livre du Canada pour leurs activités d'édition.

Elles remercient la Société de développement des entreprises culturelles du Québec (SODEC) pour son aide à l'édition et à la promotion.

Elles remercient également le Conseil des Arts du Canada de l'aide accordée à leur programme de publication.

Gouvernement du Québec – Programme de crédit d'impôt pour l'édition de livres – gestion SODEC.

Imprimé avec des encres végétales sur du papier dépourvu d'acide et de chlore et contenant 10 % de matières recyclées post-consommation.

IMPRIMÉ AU CANADA/PRINTED IN CANADA

La chasse aux sorcières

Miniroman de Alain M. Bergeron – Fil et Julie

LE CHAT-Ô EN FOLIE

Les chats aiment-ils les fraises ? Je n'en suis pas certain. Moi, j'aime bien Fraisinette. C'est une souris. Elle est belle et grasse à croquer. Miam ! Miam !

Altesse, la princesse, adore les fraises. Pour en trouver, elle se rend au Royaume d'À-Côté. Chercher des fraises, ce n'est pas sorcier...

Pourtant, ça peut le devenir...

Moi, Coquin, le chat du château, je te raconte...

Chapitre 1

Au Royaume d'En-Bas, la saison des fraises est déjà terminée. Elle n'a duré que deux semaines. On a mangé toutes les fraises. Par contre, la saison des brocolis se poursuit. Et la récolte est abondante. Dans la cuisine du château, ce légume vert fait partie de tous les repas...

Altesse, la princesse, n'aime pas le brocoli.

Au souper, on lui sert une boisson épaisse et verte : du lait de brocoli.

Pour le dessert, on lui offre des muffins au brocoli, de la tarte au brocoli, du yogourt au brocoli, de la crème glacée au brocoli...

Le beau visage rose d'Altesse vire au vert brocoli. La princesse se lève d'un bond. Elle dit au roi:

– Les brocolis, ça suffit! Je pars acheter des fraises au Royaume d'À-Côté.

Ce royaume voisin produit les meilleures fraises de la Vallée du temps fou, fou, fou. La saison, là-bas, dure près de deux mois. De plus, ce sera l'occasion pour Altesse de revoir son amie, Orléane. Elles sont allées à l'école ensemble, il y a quelques années.

La reine propose à sa fille une collation pour la route : des barres tendres au brocoli.

– Non, merci ! refuse Altesse, avec une grimace.

Un troisième lui tape sur l'épaule pour capter son attention. Avec ses cheveux hérissés et sa figure ronde, il a l'air d'un ananas.

– Une malédiction plane sur notre royaume.

Rapidement, un cercle se forme autour d'Altesse. Tous ces gens lui racontent que la culture des fraises a fait... patate!

La princesse est découragée. Tout ce chemin pour rien.

– Quelle est la cause de cette catastrophe ? demande-t-elle.

Chacun donne son opinion. Altesse a du mal à tout saisir, parce que tous discutent en même temps.

Une voix plus forte domine.

C'est celle d'un homme vêtu d'habits chics. Il est grand et mince comme une échalote. C'est un seigneur, pas un marchand.

– C’est la faute de la sorcière, Orléane ! déclare maître Berrie.

Altesse est sous le choc. Orléane n’est pas une sorcière... C’est son amie !

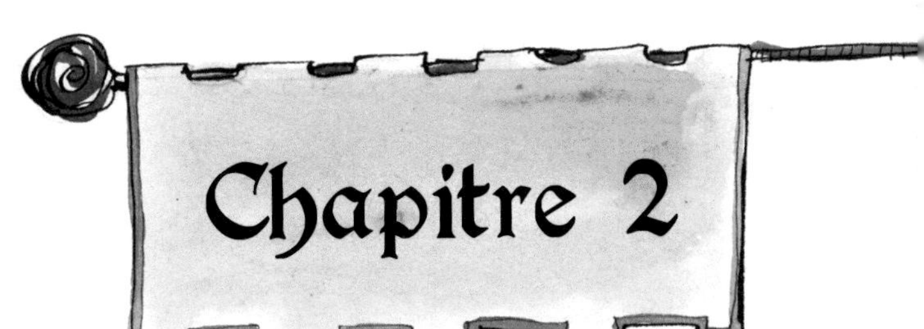

Altesse est au Royaume d'À-Côté pour acheter des fraises au marché. Sur place, elle apprend que la récolte a été mauvaise. Son amie Orléane serait responsable de cette situation. On raconte même qu'elle est une sorcière.

– Elle a le seul beau jardin de toute la région. C'est la preuve! s'exclame maître Berrie.

Il entraîne avec lui un groupe de marchands, farouches et déterminés.

– Allons arrêter la sorcière !

Sans hésiter, la princesse court jusqu'au stationnement. Un papier est accroché à la selle de son cheval.

– Quoi ? Une contravention ? Le temps est expiré sur mon parcomètre ?

Altesse range le papier dans la poche de sa robe. Elle saute sur Blanchon.

– Yaaaah ! crie-t-elle.

La princesse s'élance vers la maison de son amie, Orléane. Elle se souvient qu'elle habite dans la forêt. Elle espère arriver avant le groupe de marchands en colère. Blanchon, le cheval d'Altesse, file comme le vent.

La nuit tombe. Les arbres semblent changer de forme et devenir menaçants.

Au détour d'un sentier, Altesse aperçoit la maison d'Orléane. Sa vieille demeure est adossée à des arbres, dans une clairière. Les marchands ne sont pas encore là.

La princesse descend de son cheval et cogne à la porte avec force.

– Orléane ! Orléaaaane !

Une jeune femme aux cheveux roux lui ouvre. Elle tient un balai.

– Altesse, mon amie ! s'exclame-t-elle, ravie.

Elle l'invite à entrer. Vite, la princesse lui explique le but de sa visite.

– Tu dois partir tout de suite. Ces marchands pensent que tu es une sorcière.

La réaction d'Orléane étonne Altesse : elle éclate de rire.

– Moi, une sorcière ? C'est ridicule !

– Pas si ridicule que ça ! répond un homme derrière elle.

Altesse se retourne et reconnaît maître Berrie, l'homme échalote.

Trop tard !

Les marchands sont chez Orléane. Ils viennent la capturer. Dirigés par maître Berrie, ils affirment qu'elle est une sorcière.

Ce grand seigneur se tient dans l'entrée. Il empêche Orléane de s'enfuir. Derrière lui, on devine la présence de plusieurs personnes. Quelqu'un s'écrie:

– Elle a son balai! Attention, elle va s'envoler!

Orléane soupire devant tant de bêtise.

– C'est pour la poussière ! Mon aspirateur est brisé...

Un autre s'énerve.

– Regardez le chaudron dans la cheminée ! C'est une potion magique. Elle veut nous changer en crapauds !

Orléane réussit à conserver son calme.

– J'ai fait une soupe aux légumes.

Maître Berrie indique la table de cuisine. On y retrouve un bol de grosses fraises, d'un rouge éclatant.

– Pourquoi vos fraises sont-elles si belles ? Les nôtres sont dans un état affreux !

– Voyez qui s'en occupe, répond Orléane.

C'est maître Berrie qui est responsable de la culture des fraises au royaume. Fâché, il riposte :

– Vous usez de sorcellerie !

– C'est vrai ! l'appuient les marchands.

Ils entrent dans la maison.

– Emparez-vous d'elle ! ordonne maître Berrie.

Altesse sort son épée de son fourreau pour défendre son amie.

– Je transforme en brochette le premier qui ose s'avancer !

Orléane la supplie de ranger son arme.

– Je ne veux pas de violence, lui dit-elle.

Des marchands la saisissent par les bras.

Maître Berrie désigne également Altesse.

– Et arrêtez-la, elle aussi. Pour complicité !

Chapitre 4

Altesse ne comprend rien. Orléane et elle sont prisonnières de marchands en colère. Pourquoi ces gens pensent-ils que son amie est une sorcière ? Elle est pourtant si gentille.

Les deux femmes seront jugées au château. Maître Berrie les amène au roi des Courges dans la grande salle du palais. Le roi est de mauvaise humeur. Il appuie sa main sur sa joue droite.

– J'ai mal aux dents ! Dépêchez-vous, maître Berrie !

Celui-ci lui résume les faits. Le roi grimace de douleur.

– Ouille ! Qu'avons-nous là ? Une sorcière et une princesse... Bon, on verra ça demain.

Il s'adresse à Orléane.

– Si vous êtes une sorcière, je vous condamnerai au donjon.

Le roi se tourne vers Altesse.

– Si votre amie est une sorcière, je vais vous expulser de mon royaume... Ouille !

Des gardes font sortir les deux amies de la salle. Selon les ordres du roi des Courges, Orléane passera la nuit en prison. Altesse dormira dans une chambre, sous haute surveillance.

Orléane a le temps de murmurer quelque chose à son amie.

Altesse est logée dans une chambre modeste. Ce n'est pas grave. La princesse n'est pas là pour se reposer. Elle a un plan afin d'aider Orléane.

Deux soldats gardent sa porte.

Altesse se rend à la fenêtre. Sa chambre se trouve au troisième étage.

Pas question de sauter.

Elle attache deux draps ensemble. Ensuite, elle fixe l'un des bouts à un pied de son lit. Elle balance les draps par la fenêtre. La princesse vérifie si le tout est solide.

– Oui, ça ira ! dit-elle.

Altesse descend le long du mur de pierres en se tenant aux draps. Elle touche le sol.

Profitant d'une nuit sans lune, elle réussit à sortir de la cour du château.

Une fois dans la forêt, elle siffle un petit coup. Son cheval, Blanchon, apparaît. Elle grimpe sur son dos.

Destination : la maison d'Orléane.

Ce matin, le roi des Courges est encore de mauvaise humeur. Il n'a pas dormi de la nuit. Ses dents lui font mal. Il doit juger Orléane pour sorcellerie. Si elle est coupable, il va aussi ordonner l'expulsion d'Altesse. Ça lui apprendra à ne pas se mêler de ses oignons au pays des fraises.

Dans la grande salle du château, il y a foule. Les marchands ne veulent pas rater le procès de la «sorcière». Ils adorent la chasse aux sorcières...

Maître Berrie se tient debout devant le roi, droit comme un céleri. À ses côtés, Orléane jette des regards inquiets autour d'elle.

Le roi remarque l'absence d'Altesse. Maître Berrie semble contrarié.

– Euh... oui, Votre Majesté. La princesse s'est enfuie cette nuit. Elle est sûrement rentrée chez elle.

Orléane refuse d'y croire.

– C'est faux ! Elle a...

Le roi lui impose le silence.

– Faites-la taire ! Elle me donne mal aux dents. Ouille !

Orléane est bâillonnée. Le roi des Courges lui pose une question.

– Pourquoi vos fraises sont-elles si rouges et si belles ? Vous êtes une sorcière ?

– Mmmmmm, tente de lui expliquer Orléane.

Le roi se plaint d'une nouvelle rage de dents.

– Ouille ! J'ai compris. Vous êtes une sorcière. Je vous condamne au donjon.

Une voix éclate dans la salle.

– Vous allez commettre une erreur, Majesté !

Altesse se dirige d'un pas rapide vers son amie. Elle lui retire son bâillon.

– Je savais que tu ne m'oublierais pas, lui dit Orléane.

Altesse montre au roi un plant de fraises arraché dans un champ de son royaume.

– Voyez comme il n'est pas en santé.

Altesse verse trois gouttes d'un liquide rouge sur ses racines. En moins d'une minute, le plant reverdit. De grosses fraises surgissent. C'est magique!

Le roi des Courges est surpris. Altesse a redonné vie à un plant de fraises de son royaume en versant des gouttes sur ses racines.

– C'est grâce à mon amie Orléane, dit-elle.

Mais elle n'attire pas la sympathie de maître Berrie. Loin de là !

– Voilà ! conclut-il. C'est de la sorcellerie !

Orléane proteste.

– C'est un simple engrais que j'ai créé avec des ingrédients naturels.

Elle arrache une fraise et la tend au roi, qui la refuse.

– J'ai trop mal aux dents. Ouille!

Orléane remet alors une petite tige brune au roi.

– Majesté, mon amie ne m'a pas abandonnée, cette nuit. Elle est allée chez moi chercher de l'engrais pour les fraises et... ceci, pour vous.

– Qu'est-ce que c'est ? veut savoir le roi des Courges. De l'engrais pour les rois ?

– Un clou de girofle.

– Un cou de girafe ? répète le roi.

– Un clou de girofle, corrige Orléane. Mâchez-le et vous serez libéré de votre mal de dents.

Le roi hésite. Mais il a si mal qu'il décide d'essayer. Il se sent mieux après quelques secondes seulement.

– Ça fonctionne ! s'écrie le roi, heureux. Je n'ai plus mal ! Quel est votre secret ?

– De la sorcellerie! s'entête maître Berrie.

C'est au tour d'Altesse de s'avancer.

– Mon amie connaît les plantes.

Pour une première fois depuis longtemps, le roi des Courges sourit.

– Madame, pouvez-vous fabriquer cet engrais en grande quantité pour sauver nos champs de fraises?

Orléane accepte avec plaisir.

Elle lui offre de nouveau une fraise.

Le roi la dévore des yeux.

Il la sent.

Il l'écoute... Il l'écoute?

– Oui, s'amuse le roi. Elle me dit: «Mange-moi! Mange-moi!»

Il l'engloutit.

– Une fraise parfaite ! annonce-t-il à tous.

Maître Berrie est irrité.

– Majesté, vous confiez une tâche importante à cette parfaite inconnue. L'engrais que j'ai étendu dans nos champs en début de saison n'est peut-être pas tout à fait au point. Mais d'ici peu, avec de la patience, il devrait donner des résultats...

Une vague de colère se répand parmi la foule. Maître Berrie est encerclé par des marchands.

– Ainsi, c'est vous, le responsable de nos mauvaises récoltes ! dit un homme, furieux.

Maître Berrie s'excuse.

– Je... je voulais vous aider !

– Gardes ! intervient le roi. Relâchez dame Orléane. Envoyez maître Berrie réfléchir au donjon.

Des soldats font sortir le seigneur de la grande salle.

Avec Altesse, Orléane produit son engrais. Grâce à elle, les champs du Royaume d'À-Côté reprennent des couleurs.

Une semaine plus tard, des milliers de fraises rougissent sous le soleil. L'abondance est de retour.

Dans la Vallée du temps fou, fou, fou, on vient de loin pour cueillir les beaux fruits rouges. Tous sont d'accord : les fraises d'Orléane sont les meilleures et les plus belles !

Ouille ! Ouille ! Ouille ! Une chance qu'Orléane a pu soulager le mal de dents du roi des Courges. Sinon, le roi du pays des fraises aurait dû affronter... la fraise du dentiste pour soigner ses caries !

Quant à mon amie, la souris Fraisinette, je l'ai invitée à... manger !

Cha-lut !

FIN

www.chatoenfolie.ca

Les pensées de Coquin

Moi, le Coquin, je me glisse dans les illustrations. À toi de me trouver! Et si tu veux savoir chaque fois ce que je pense, va vite sur le site découvrir *Les pensées de Coquin*, tu vas bien t'amuser.

Les mots modernes

Alain, Fil et Julie ont mis dans le roman des mots et des objets inconnus à l'époque des châteaux. Pour les retrouver tous, viens t'amuser sur mon site Web en cliquant sur le jeu «Mots modernes». Il y a aussi plein d'autres activités rigolotes.

Chat-lut!

LE CHAT-Ô EN FOLIE

Miniromans de
Alain M. Bergeron – Fil et Julie

1. Le dragon du Royaume d'En-Bas
2. Le tournoi des princes charmants
3. L'âne magique du petit chevalier
4. La guerre des cadeaux
5. La reine des loups noirs
6. La forêt aux mille nains
7. Le prince sans rire
8. La fiancée de Barbe-Bleue
9. La coupe du hocquet glacé
10. Un imposteur sur le trône
11. Le bal des crapauds
12. Le fantôme de la tour
13. La galette des Rois
14. Flûte, des rats !
15. Le bandit des grands chemins
16. Le médecin des dragons
17. La chasse aux sorcières
18. Un ogre et des poucets